entre amigos 1

Curso de Español para extranjeros
Nivel elemental

Mª Luisa Lagartos
Mª Isabel Martín
Angeles Rebollo

CUADERNO DE EJERCICIOS

SGEL

Sociedad General Española de Librería, S. A.

Primera edición en 1990
Octava edición en el 2001

Produce: SGEL-Educación
          Avda. Valdelaparra, 29 - 28108 ALCOBENDAS (Madrid)

Cubierta y diseño: Érika Hernández
Fotos: Archivo SGEL
Dibujos: M. Rueda

ISBN: 84-7143-428-8
Depósito Legal: M. 11.290-2001
Printed in Spain - Impreso en España

Compone: GRAPHICA
Imprime: GRÁFICAS PEÑALARA
Encuaderna: F. MÉNDEZ

Índice de contenidos

UNIDAD 1

- • ¡Hola, buenos días! Me llamo ....
- ° ¡Hola, buenos días! Mi nombre es ....

- • ¡Hola, buenas tardes! Me llamo ....
- ° ¡Hola, buenas tardes! Mi nombre es ....

- • ¡Adiós! ¡Buenas noches!
- ° ¡Hasta mañana! ¡Buenas noches!

¡Hola! Yo soy ....

Mi amigo es ....

Mi amiga se llama ....

Mi hermana ....

Y mi gato ....

3

¿Cómo se llaman nuestros amigos?

D_____   M_____

I_____   CH_____

A_____

Tu nombre es:_____

Tu profesor/a se llama:_____

4

| e | m | o | n |
| a | r | h | |

hermano

| a | h | a | n |
| r | m | e | |

hermana

| i | | | a |
| g | m | | o |

_____

| | a | i | |
| m | g | | a |

_____

| o | | s | r |
| e | | ñ | |

_____

| o | | s | a |
| e | r | ñ | |

_____

| | g | t | |
| a | | | o |

_____

| a | | | a |
| | t | g | |

_____

En el parque

5

Éste es el _____ de los _____s.

El _____ , la _____ y la _____ .

La _____ del parque.

Esto es un _____ .

La _____ de Isabel.

6

Éste es un amigo.

Ésta es una amiga.

Éste es un ....

Ésta es una ....

Éste es un ....

Ésta es una ....

Éste es un ....

Ésta es una ....

Éste es un ....

Ésta es una ....

7

El hermano y la_____

El niño y la_____

El gato y la_____

El amigo y la_____

El señor y la_____

El chico y la_____

El profesor y la_____

El hombre y la_____

8

un árbol y un banco

una hoja y una chica

un hombre con globos

una señora en una bicicleta

un hotel

una fuente y una flor

9

Esta chica es Ana.
Chapi es el nombre del gato.
El helado es de chocolate con leche.
El hermano de Isabel es mi amigo.

10

| Chapi, hojas, chuleta, chica, hotel |

El gato de Ana se llama _____

La bicicleta de la _____

El árbol tiene muchas _____

El _____ se llama Parque.

Esto es una _____

UNIDAD 2

a) • ¿Quién es?

○ ....

c) • Y tú, ¿quién eres?

○ ....

b) • ¿Quiénes son?

○ ....

d) • ¿De dónde es Ana?

○ ....

f) • ¿De dónde eres tú?

○ ....

e) • ¿De dónde son estos niños?

○ ....

3

tengo años
diez Yo

a) Yo tengo diez años.

b) _____

y Luis
juegan Pablo
baloncesto al

amiga en
calle Mi
Picasso la
vive de

c) _____

d) _____

es
San Francisco
Manuel de

4

Un globo, dos globos, tres globos,
la luna es un globo que se me escapó.

Un globo, dos globos, tres globos,
la tierra es el globo donde vivo yo.

1. La luna es ....

"Uno, dos, tres ...."
pero mi padre,
que es astronauta,
cuenta al revés:

"Tres, dos, una ......"
¡vuela cohete
hacia la luna!
                    E. Teixidor

2. Mi padre es ....

5

a) • ¿Quién es?

   ○ Es Ana, una amiga del colegio.

b) • ¿ _____ ?

   ○ Yo tengo ocho años.

c) • ¿ _____ ?

   ○ Soy de Córdoba.

d) • ¿ _____ ?

   ○ Al baloncesto.

6

_____

- la raqueta
- el balón
- el equipo
- la cometa
- el columpio
- el dado
- las fichas

_____

_____

 _____

 _____

7

Juan tiene un  _____ y su amigo Paco tiene

una _____ .

Jugamos al _____ con el _____

y las  _____ .

8

el portero

fútbol

dos   diez

campo

equipo

porterias

Quique juega al _____ . Su _____
tiene _____ jugadores y un portero.
El _____ de fútbol tiene _____
_____ .

9

ca
co   cu

que
qui

el columpio   _____   _____

_____   _____   _____

10

$$\begin{array}{r} 8 \\ +\ 2 \\ \hline 10 \end{array}$$ ocho
dos
diez

ocho más dos son diez.

$$\begin{array}{r} 5 \\ +\ 3 \\ \hline 8 \end{array}$$ ____
____
____

_____ más _____ son _____.

$$\begin{array}{r} 1 \\ +\ 6 \\ \hline 7 \end{array}$$ ____
____
____

_____ más _____ son _____.

UNIDAD 3

- ¿Qué es esto?
- ○ ....

- ¿Qué es?
- ○ ....

- ¿De qué color son los papeles?
- ○ ....

- ¿Para qué sirve?
- ○ ....

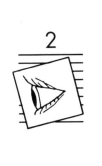

2

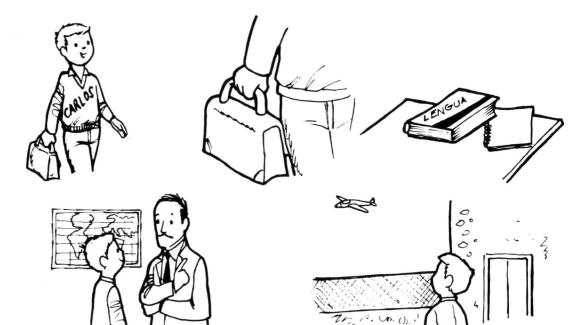

3

Carlos va al _____. Tiene una _____ _____
muy bonita. En el colegio _____ un _____ ____
_____ y un _____ .

4

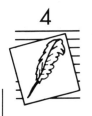

a) ¿ _____ ?

b) ¿ _____ ?

c) ¿ _____ ?

d) ¿ _____ ?

a) es un libro
b) para estudiar geografía
c) muy grande
d) rojo

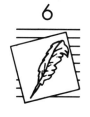

5

Escribo con:

1.— la _____ 2.— el _____ 3.— el_____

6

1.— enseña ——→ enseñar   5.— aprende ——→
2.— dibuja ——→   6.— hace ——→
3.— pinta ——→   7.— sabe ——→
4.— borra ——→   8.— trae ——→

7

2.• ¿Qué es eso?
   ○ ....

• ¿Para qué sirve?
   ○ ....

1 • ¿ Qué es esto?
   ○ ....

• ¿Para qué sirve?
   ○ .... 3.• ¿Qué es aquello?
                                                        ○ ....

• ¿Para qué sirve?
   ○ ....

8

En la puerta de un _____ está un _____ que tiene unos _____ de color.

9

10

5

_____ _____ y un_____

_____ con un_____ _____.

UNIDAD 4

a) El robot habla con ....

b) Luis quiere montarse en el coche....................

c) Paco quiere montarse en el caballo ....

d) Las fiestas son en el barrio de ....

¿Cómo es tu barrio?

Mi barrio es ...

- ¿Cómo es tu calle?
  o ....

- ¿De qué color es la puerta de tu casa?
  o ....

- ¿Para qué sirve el teléfono?
  o ....

3

1. Pedro habla por teléfono en la cabina.
2. La farola sirve para ver la calle.
3. En la plaza hay tres árboles.
4. En la esquina de la calle hay un semáforo.

4

esquina

casa

P	U	E	R	T	A	E
T	I	E	N	D	A	S
U	P	M	I	S	C	Q
E	L	C	A	S	A	U
Z	A	U	P	M	L	I
J	Z	H	B	E	L	N
O	A	P	O	F	E	A

puerta

tienda

plaza

calle

5

Z — C — Q — H

Los padres de Pa_o van al _ine
_ue está en la pla_a, al lado de su _asa
Es el _ine _ervantes. Pa_o _uiere
ir _on ellos, pero no _uieren llevarlo.
Su _ermano _oracio tiene un _uios_o
de _olor a_ul.

6

• ¿Te llamas Charo?
○ No, mi nombre es Chelo.

1— • ¿ .... Chema?
    ○ .... Horacio.

2— • ¿ .... Carmen?
    ○ .... Cecilia.

3— • ¿ .... Roque?
    ○ .... Quico.

4— • ¿ .... Azucena?
    ○ .... Hortensia.

5— • ¿ .... Héctor?
    ○ .... Carlos.

7

Yo quiero _____ con _____

El _____ de chocolate es muy rico.

El _____ va a su _____

El _____ está en la esquina de la _____

¿Quieres **5** _____ _____ ?

8

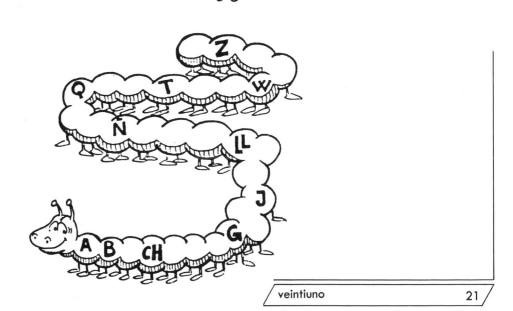

JUEGO

JUGADORES: o más

MATERIAL:  o más y 1

COMO SE JUEGA:

• El primer jugador cuenta tantos cuadros como indica el número que salga en el dado.

• Si caes en un cuadrado con:

☐ UN DIBUJO ☐ contesta a ¿QUÉ ES ESTO?

☐ UNA PALABRA ☐ señala algo de ese color

☐ UN NÚMERO ☐ contesta a ¿QUÉ NÚMERO ES ÉSTE?

• Si respondes BIEN, te puedes quedar allí.

• Si respondes MAL, cuentas 2 cuadros hacia atrás.

• Si te sale [🎲] , tira otra vez.

• Si te salen [🎲] , [🎲] , [🎲] , vuelve a la SALIDA.

• Si caes en el cuadro n.º 5, sube al 20.

• Si caes en el cuadro n.º 21, para 2 turnos.

• Si caes en el cuadro n.º 23, baja al 18.

GANADOR: El jugador que llega primero al cuadro n.º 24.

¿Qué número es éste?
¿Qué es esto?
¿Qué color es éste?

UNIDAD 5

guapo/a	—	feo/a
alto/a	—	bajo/a
gordo/a	—	delgado/a
rubio — moreno — castaño		

- ¿Cómo es el niño?
- El niño es ....
- ¿Cómo es la niña?
- La niña es ....

ojos: negros/verdes/azules/grises
con/sin: barba/gafas/bigote
joven — viejo/a

- ¿Cómo es el hombre?
- El hombre es ....
- ¿Cómo es la mujer?
- La mujer es ....

castaño claro — castaño oscuro, alto — alta,
delgado — delgada, negros, castaños

1) Ana es una niña _____ y_____
   Tiene el pelo_____ y los ojos _____

2) Julio Iglesias es un hombre _____ y_____
   Tiene el pelo _____ y los ojos _____

LOS NOMBRES DE TU FAMILIA

4

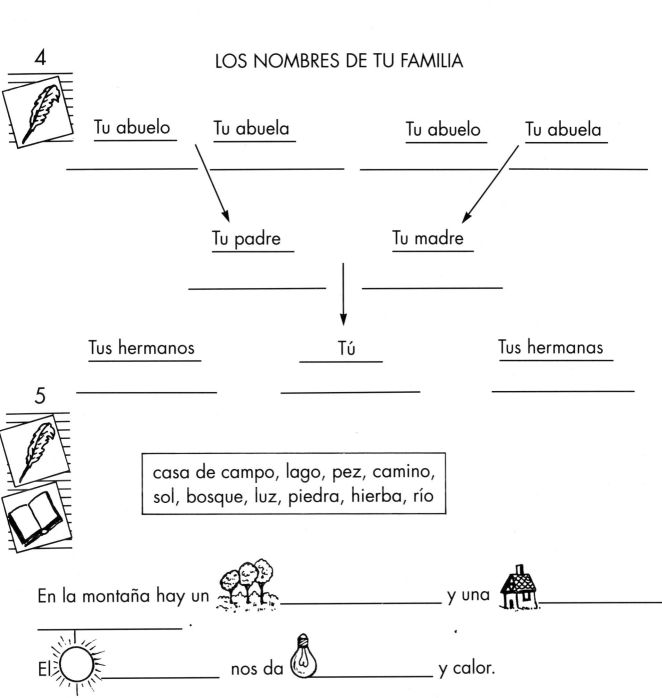

Tu abuelo   Tu abuela   Tu abuelo   Tu abuela

_____   _____

Tu padre   Tu madre

_____   _____

Tus hermanos   Tú   Tus hermanas

5

casa de campo, lago, pez, camino,
sol, bosque, luz, piedra, hierba, río

En la montaña hay un _____ y una _____

_____ .

El _____ nos da _____ y calor.

En el camino hay una _____ .

Entre la casa de campo y el _____ hay un _____ .

En la tierra hay flores, _____ y piedras.

En el _____ veo un _____ .

6

En el camino hay una piedra.

El perro está en la fuente.

En el campo hay cuatro flores rojas.

En el lago veo tres peces.

7

el coche → los coches

el bosque → _____

el lago → _____

el río → _____

el camino → _____

el perro → los perros

la casa → las casas

la montaña → _____

la tierra → _____

la fuente → _____

la nube → _____

la piedra → las piedras

8

el balón → los balones

el árbol → _____

el sol → _____

el avión → _____

la canción → las canciones

la flor → _____

la red → _____

la lección → _____

Pero ¡OJO!

el lápiz → los lápices

el pez → _____

la cruz → las cruces

la luz → _____

9

El perro de San Roque
no tiene rabo,
porque Ramón Ramírez
se lo ha cortado.

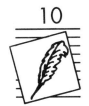

10

| Yo - tú, nosotros - vosotros, ellos ustedes |

¿Estudias _____ Español?   No, _____ estudio inglés.

¿Juegan al _____ al tenis?   No, _____ jugamos al baloncesto.

¿Tienen _____ un perro?   No, _____ tienen dos gatos.

Escribe estos números:

10 _____   40 _____   70 _____

20 _____   50 _____   80 _____

30 _____   60 _____   90 _____ y cien

UNIDAD 6

¿Qué hora es?

a) .... b) .... c) .... d) ....

- ¿A qué hora te levantas?
  ○ ....

- ¿Qué haces después de levantarte?
  ○ ....

- ¿A qué hora vas al colegio?
  ○ ....

- ¿A qué hora comes?
  ○ ....

- ¿Qué haces después de comer?
  ○ ....

- ¿Y después de cenar?
  ○ ....

3

Lupita se _____ muy pronto,

Después de levantarse se _____ y

_____.

A las _____ y media, se va al colegio,

A la _____ come y después de

comer _____ con otros _____.

Por la tarde _____ mucho.

A las _____ cena y a las nueve

se _____.

4

a) • ¿Qué hace Lupita por la mañana?

  ○ _____

b) • ¿Qué hace a mediodía?

  ○ _____

c) • ¿Qué hace por la tarde?

  ○ _____

d) • Y por la noche, ¿qué hace?

  ○ _____

5

- ¿Dónde está Teresa?
-

_____

- ¿Dónde está la madre de Teresa?
-

_____

- ¿Dónde está su padre?
-

_____

6

- ¿Cuántos dormitorios tiene la casa de Teresa?
- ....
- ¿Cuántos cuartos de baño?
- ....
- ¿Qué hay en el dormitorio?
- ....
- ¿Qué hay en el cuarto de baño?
- ....
- ¿Qué hay en la cocina?
- ....

La bañe**r**a es grande.

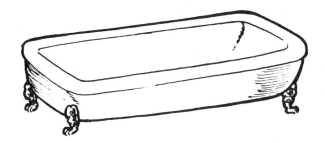

París

La Co_uña

Buenos Ai_ es

Pa_ís, La Co_uña y Buenos Ai_es son ciudades muy bonitas.

a

La ca_te_a de Ma_ía.

b

En el ba__io de Ma_iano hay fa_olas muy g_andes.

c

El pe__o de Lau_a come ca_amelos.

9

- ¿Qué haces durante la semana?

  ○ Los lunes ....

10

Los lunes _____

Los martes _____

_____

_____

_____

_____

_____

_____

_____

_____

UNIDAD 7

- ¿Qué llevan puesto?

a) ° La gitana lleva puesto

....

b) ° El vaquero

....

c) ° La bailarina

....

2

Caperucita Roja

3

a) • ¿Qué tiene Caperucita en la cara?

○ _____

_____

_____

b) • ¿Cómo es su pelo?

○ _____

c) • ¿Qué lleva en la cabeza?

○ _____

d) • ¿Qué lleva puesto?

○ _____

_____

4

• ¿Qué llevas puesto tú?

○ _____

_____

• ¿Qué lleva puesto tu profesor?

○ _____

_____

5

Lleva puesto un vestido largo y blanco,
desde la cabeza hasta los pies. Algunas
veces se le ven los brazos y las piernas.
Los niños tienen miedo cuando dice,
¡uuuuuuuuh!

- ¿Quién es?
○ _____

6

| un | — | una |
| unos | — | unas |

una _____   _____ _____

_____   _____ _____

_____   _____ _____

7

oreja   cabeza   pie

nariz   mano   ojo   brazo

pierna   diente   dedo

el

la

_____   _____

_____   _____

_____   _____

_____

8

las manos •   • los zapatos

la cabeza •   • el sombrero

los pies •   • los pantalones

los ojos •   • los guantes

las piernas •   • las gafas

9

¿Donde está la ropa de Yolanda?

encima	— debajo
delante	— detrás
dentro	— fuera
a la izquierda	— a la derecha

Los calcetines están _____ de la mesa que está _____ de la ventana.

Los zapatos están _____ de la silla que está _____ de la cama.

Los vestidos y los pantalones están_____ del armario y la chaqueta está _____ de la cama.

La puerta está _____ del dormitorio; _____ de la puerta está el abrigo.

10

- ¿Qué hay dentro del armario?
- ○ ....
- ¿Qué hay encima de la cama?
- ○ ....
- ¿Qué hay debajo de la silla?
- ○ ....

11

desayuna, Yolanda, llueve, llave,
calle, llegar, lleva, payaso,
Goya, castillo, amarillo

Mi amiga _____
vive en la _____ _____

_____ a las 8,
para no_____ tarde
al colegio.

Cuando_____,
_____ puesto un
sombrero.

Tiene un muñeco disfrazado
de _____ y un
_____ de juguete
que se abre con una _____
_____.

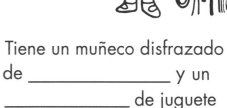

UNIDAD 8

1

¿Qué hora es? — Son las...

A  B 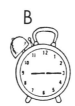 C  D

2

¿A qué hora es ....?

a) El desayuno

El desayuno es a las _____ en punto.

b) La comida

La_____

c) La merienda

La_____

d) La cena

La_____

3

¿Qué está haciendo?

a)   b)   c)   d)   e)

a) La _____ está _____ un periódico.
b) El _____ está _____ el coche.
c) La _____ está _____ al tenis.
d) El _____ está _____ fotografías.
e) La _____ está _____ un taxi.

4

Lee este texto y después escribe los nombres de los familiares de Amaya en el sitio que se indica.

LA COMIDA DE CUMPLEAÑOS

Yo soy *Amaya.*

Hoy es el día de mi cumpleaños.

Mi familia viene a comer a casa. Mi abuela *María* se sienta siempre en el sillón de la derecha. Mi abuelo *Pedro,* en el sillón de la izquierda. En la silla de mi derecha se pone mi padre, *Alberto.* A mi izquierda, se sienta mi madre, *Cristina.* Al otro lado de la mesa, están mis hermanos: *Pilar,* al lado del abuelo, *Carlos* enfrente de mí, y *Enrique,* al lado de la abuela.

Encima de la mesa hay pequeños ramos de claveles blancos y rojos.

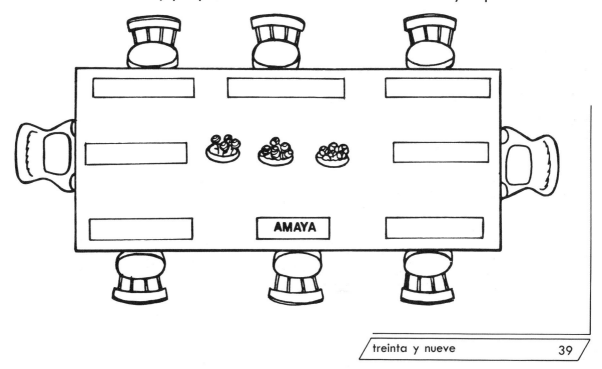

5

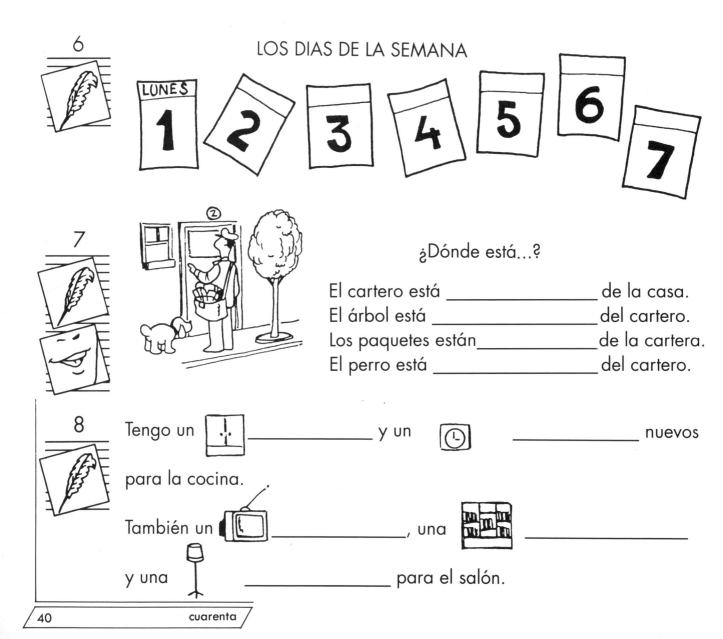

- ¿ _____?
- Es la señora Martín.

- ¿ _____?
- Es profesora de español.

- ¿ _____?
- Es joven, rubia y muy guapa.

- ¿ _____?
- Está en la clase.

Sra. Martín

6

LOS DIAS DE LA SEMANA

LUNES **1** **2** **3** **4** **5** **6** **7**

7

¿Dónde está...?

El cartero está _____ de la casa.
El árbol está _____ del cartero.
Los paquetes están_____ de la cartera.
El perro está _____ del cartero.

8

Tengo un [ ] _____ y un [reloj] _____ nuevos

para la cocina.

También un [televisor] _____, una [estantería] _____

y una [lámpara] _____ para el salón.

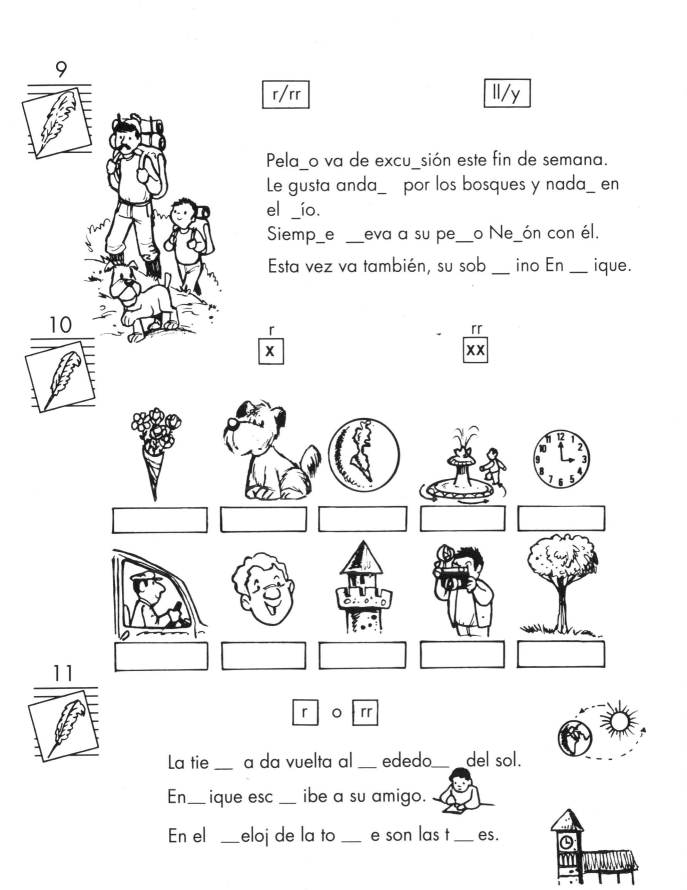

9

r/rr   ll/y

Pela_o va de excu_sión este fin de semana.
Le gusta anda_ por los bosques y nada_ en
el _ío.
Siemp_e __eva a su pe__o Ne_ón con él.

Esta vez va también, su sob __ ino En __ ique.

10

r
x

rr
xx

11

r o rr

La tie __ a da vuelta al __ ededo__ del sol.

En__ique esc __ ibe a su amigo.

En el __eloj de la to __ e son las t __ es.

LA ALFOMBRA MAGICA

12

REGLAS DEL JUEGO.   JUGADORES: o más. MATERIAL:

COMO SE JUEGA: Se tira el dado.

- El jugador con el número mayor empieza el juego. Se continúa por la derecha
- Avanza tantos cuadros como te indique el dado.
- Si caes en:

△ Contesta a ¿DÓNDE ESTÁ/N....?

○ Contesta a ¿QUÉ HACE ?

□ Contesta a ¿QUÉ ES ESE/A SEÑOR/A?

- Si respondes bien, te quedas en el cuadro,
- Si respondes mal, cuentas tres cuadros hacia atrás
- Si sacas [:] y respondes bien, tira otra vez.
- Si sacas [::] [::] [::] , vuelve a la SALIDA.

GANADOR: El primero que llegue exactamente a la
ALFOMBRA MAGICA.

LA ALFOMBRA MÁGICA

en
dentro
fuera
encima
debajo
delante
detrás

1

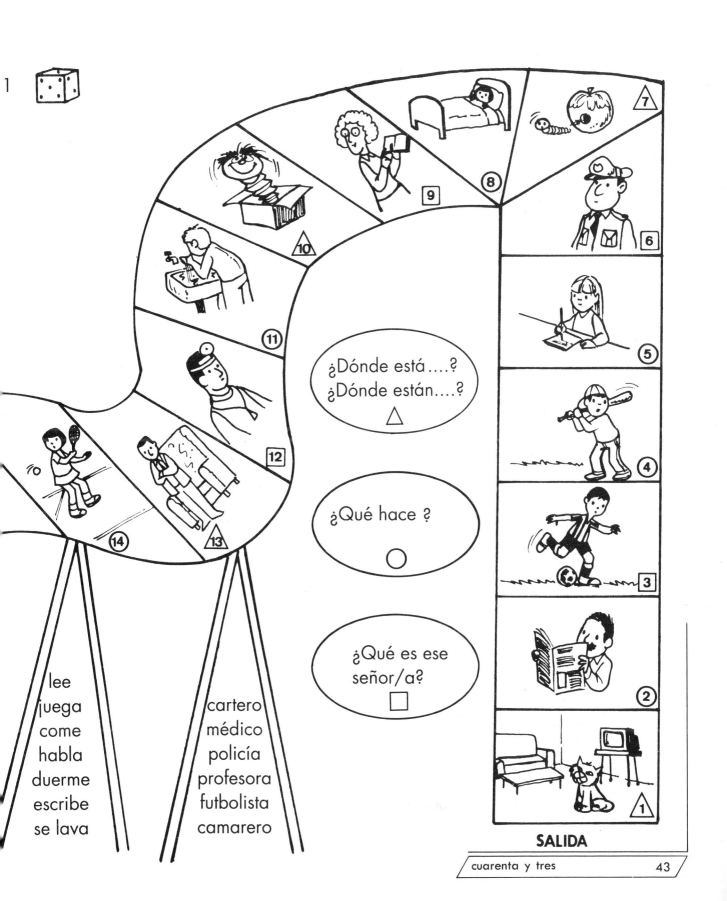

¿Dónde está....?
¿Dónde están....?
△

¿Qué hace?
○

¿Qué es ese señor/a?
□

lee
juega
come
habla
duerme
escribe
se lava

cartero
médico
policía
profesora
futbolista
camarero

SALIDA

UNIDAD 9

1

2

A Paco le gustan todas las estaciones del año.
En verano va a la playa. Le gusta mucho bañarse. En otoño
pasea por los parques. En invierno va a esquiar y a andar
por la montaña. En primavera el campo está muy bonito, los
pájaros cantan y hay flores de todos los colores.

- ¿Por qué le gusta a Paco el verano?
  ....

- ¿Qué pasa en la primavera?
  ....

- ¿Qué puede hacer Paco en invierno?
  ....

- ¿Y en otoño, qué le gusta hacer?
  ....

3

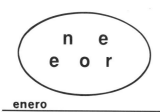

n e
e o r

__enero__

m r a
o z

_____

u j n
i o

_____

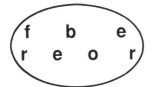

f b e
r e o r

_____

y a
m o

_____

g o t o
s a

_____

j l u
i o

_____

a r b
i l

_____

u j n
i o

_____

o v n e i
e m r b

_____

t o c
u b r e

_____

r
e s p e b
e t i m

_____

4

- ¿Qué fiestas hay en diciembre?

o _____

- ¿En qué mes es tu cumpleaños?

o _____

- ¿Cuándo empieza el colegio?

o _____

- ¿En qué meses tienes vacaciones?

o _____

5

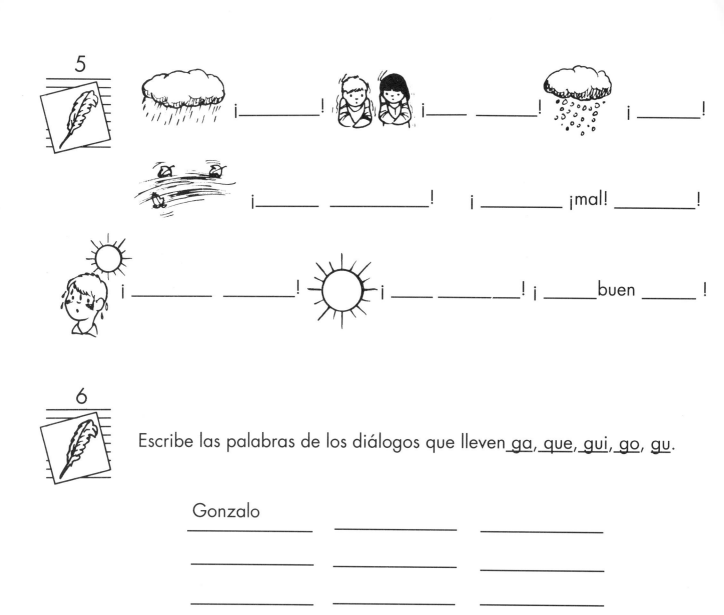

¡_____! ¡___ _____! ¡ _____!

¡_____ _____! ¡ _____ ¡mal! _____!

¡ _____ _____! ¡ ___ _____! ¡ ___buen ____ !

6

Escribe las palabras de los diálogos que lleven _ga, que, gui, go, gu_.

Gonzalo

_____ _____ _____

_____ _____ _____

_____ _____ _____

7

Di una frase con cada una de las palabras anteriores.

....

— Hoy **hace** frío. Mañana **hará** calor.
— Hoy **comemos** carne. Esta noche ——————— pescado.
— Ahora **escribes** a Sofía. Luego ——————— a Julio.
— Ahora **veo** un programa de cine. Mañana ——————— uno de teatro.
— Hoy **jugáis** al tenis. Mañana ——————— a los bolos.
— Hoy **hacemos** la cena. Mañana ——————— la comida.

9

UNIDAD 10

¿Qué compran Sergio y Juanita en el supermercado?

○ ....

● ¿Qué compras tú?

○ ....

● ¿Qué desayunas por las mañanas?

○ ....

● ¿Qué coméis los domingos en tu casa?

○ ....

● ¿Qué te gusta merendar?

○ ....

● ¿Qué cenarás hoy?

○ ....

3

Me gusta
_____
_____
_____
_____

No me gusta
_____
_____
_____
_____

4

Pon la mesa y escribe el nombre de las cosas que dibujas.

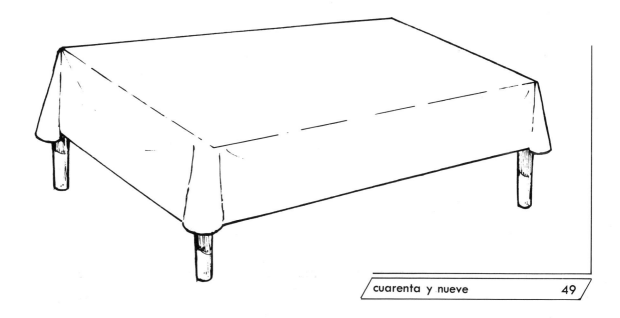

En el restaurante

> (Yo) quiero
> (Tú) quieres
> (El) quiere
> (Nosotros) queremos
> (vosotros) queréis
> (Ellos) quieren

Sergio: — Tenemos hambre.
¿Qué podemos comer?

Camarero: — Tenemos muchas cosas,
¿Qué quieren ustedes?

Sergio: — Yo_____ carne con patatas,
y tú Juanita, ¿qué _____?

Juanita: — Yo prefiero pescado con ensalada.

Camarero: — Y vosotros, niños, ¿qué _____?

Humberto: — Mi amigo Oscar _____ paella y yo
_____ pollo asado.

Camarero: — ¿Y qué desean beber?

Juanita: — Todos _____ beber agua mineral.
Traiga una botella grande, por favor.
Tenemos mucha sed.

6

¿Qué quieres comer hoy?

PRIMERO

_____

_____

SEGUNDO

_____

_____

TERCERO

_____

_____

7

la botella de _____

_____

el plato de _____

_____

la jarra de _____

_____

_____

el vaso de _____

_____

_____

| sopa |
| leche |
| zumo |
| arroz |
| chuleta |
| agua |

8

Para el desayuno

bebe
vaso de leche
María con
cacao un

_____

_____

Para el almuerzo

comemos Nosotros
pescado mucho

_____

_____

Para la merienda

quiero
bocadillo
de Yo
queso un

_____

_____

Para la cena

Me la
de gusta
tortilla
patata

_____

_____

9

jamón
jirafa   jaula
gimnasio Gema
Juan   Germán
orejas   colegio

Mi amigo _____ tiene una
_____ que se llama _____.

El jueves la jirafa hace _____
dentro de la _____ Muchos niños del _____
van a verla._____ dice:"Mira como mueve Gema las
_____ " y Germán le da su bocadillo de_____.

10

mucho — poco — nada

Andrea come _____. Juan come _____. El no come _____.

UNIDAD 11

1

La oveja tiene .... La gallina tiene ....
La oveja no tiene .... La gallina no tiene ....

LA LANA

LA CABEZA

LA PATA

EL PICO

LAS PLUMAS

EL ALA

2

Cuenta:

— qué hace el granjero por la mañana;
— qué hace la granjera a mediodía;
— qué hacen los niños por la tarde;
— qué animales hay en una granja;
— cuál te gusta más a ti.

3

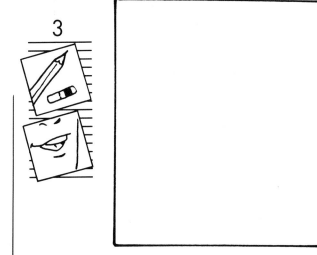

¿Cómo se llama?

_____

¿Qué come?

_____

¿Qué tiene? ¿ Lana, plumas o pelos?

_____

¿Qué da?

_____

¿Qué hace el hombre con lo que da?

_____

4

— voy a	— vamos a
— vas a	— vais al
— va al	— van al

Yo _____ _____ casa después del colegio.

Nosotros _____ _____ la piscina a nadar.

Tú _____ _____ la granja de tus tíos.

Vosotros _____ _____ campo en primavera.

Ella _____ _____ cine los fines de semana.

Ellos _____ _____ campamento de verano.

5

— vengo de	— venimos del
— vienes del	— venís de
— viene del	— vienen del

Tú _____ _____ colegio.

Vosotros _____ _____ la piscina.

Yo _____ _____ la granja de mis tíos.

Nosotros _____ _____ campo.

Ella _____ _____ cine.

Ellos _____ _____ campamento.

6

¿ Cómo vas a /al

¿ Dónde está _____ ?

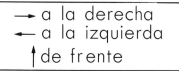

→ a la derecha
← a la izquierda
↑ de frente

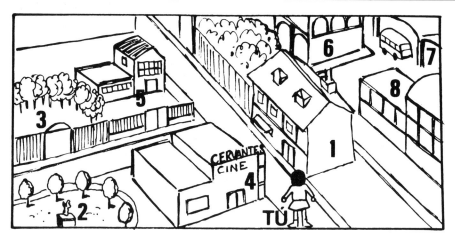

1. La casa de Begoña.   2. La Plaza Nueva,
3. El parque.   4. El cine "Cervantes".
5. El colegio de Begoña.   6. La biblioteca.
7. La estación de autobuses. 8. La oficina de Correos.

7

| hecho, pasado, bebido, regalado, |
| sido, venido, comido, dado. |

El miércoles último ha _____ mi cumpleaños; he _____

una fiesta con mis amigos. Han _____ Luis, Iñigo, Isabel, Samuel,

Verónica, Ana, Silvia y Daniel. Lo hemos _____ estupendamente.

Hemos _____ muchas cosas ricas y hemos _____ zumo de

naranja y limonada. Me han_____ una bicicleta roja y varios libros.

CRUCIGRAMA

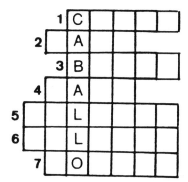

```
1  C
2  A
3  B
4  A
5  L
6  L
7  O
```

9

| al lado, a la derecha, por encima. |
| a la izquierda, en, detrás de. |

- ¿Dónde está ....?
  ○ ....
- ¿Dónde están .... ?
  ○ ....

10

| antes, ahora, después |

Mi madre ha comprado una tarta para mi cumpleaños;

_____ está haciendo chocolate para

merendar._____ hemos jugado al

parchís;_____ de merendar iremos al cine.

UNIDAD 12

1

María: —Mamá, ¿cenamos pronto? Hoy tengo mucha hambre.

Doña Luisa: —¿No has comido en el colegio?

María: —Muy poco. Nos han dado sopa y la sopa no me gusta.

Doña Luisa: —¿Quién hace la comida?

María: —Una cocinera a la que llamamos Doña Sopas.

Doña Luisa: —¿Quéee...? ¿Doña Sopas?

María: —Sí; porque todos los días hace sopa de primer plato.

2

- ¿Por qué tiene María hambre?
  ○ ....

- ¿Quién hace la comida?
  ○ ....

- ¿Cómo llaman a la cocinera?
  ○ ....

- ¿Por qué la llaman así?
  ○ ....

3

El primer mes del año es _____.
Un año tiene doce _____.

¿Qué meses empiezan por "J"?
_____ y _____.

Adivina, adivinanza.
¿Qué mes tiene tres veces
la letra "E"?

4

a)

Yo desayuno ....

b)

Guillermo come ....

c)

Gonzalo merienda
un ....

d)

En mi casa cenamos
....

5

— Hoy Adela ha comprado
manzanas.

— Mis abuelos han ido
hoy al cine.

— Juan y Gema han
comido pescado hoy.

— Tú, hoy, has bebido
agua.

— Mañana ——————— peras.

— Mañana ——————— de
paseo.

— Mañana ——————— carne.

— Mañana ——————— leche.

6

MENÚ

PLATOS
HAMBURGUESA
PATATAS
FRITAS
ENSALADA

BEBIDAS
ZUMO DE
MANZANA
ZUMO DE
NARANJA
LECHE
AGUA
MINERAL

POSTRES
HELADO
PLATANO
CIRUELAS

MANZANAS
PERAS
NARANJAS

a) • ¿Qué vas a tomar?
   ○ Primero _____
   _____
   _____

• ¿Y para beber?
   ○ _____
   _____

b) Me gustan

No me gustan

_____ _____
_____ _____
_____ _____
_____ _____

7

Por la mañana

Antes de comer

Después

y después de...

Por la tarde

Por la noche

Por la mañana, Jaime ha desayunado a las ocho._____

_____

8

 A Begoña le gustan mucho las castañas.

Los niños se bañan en el lago.

Jaime y Juanita le dan hojas a la jirafa que está en la jaula.

9

a) Este animal es un _____ y se llama Casta ___ ón.

b) El _____ que ha comprado ___ ermán está muy bueno.

c) ___ ___ illermina es ami ___ a de Mi ___ ___ el.

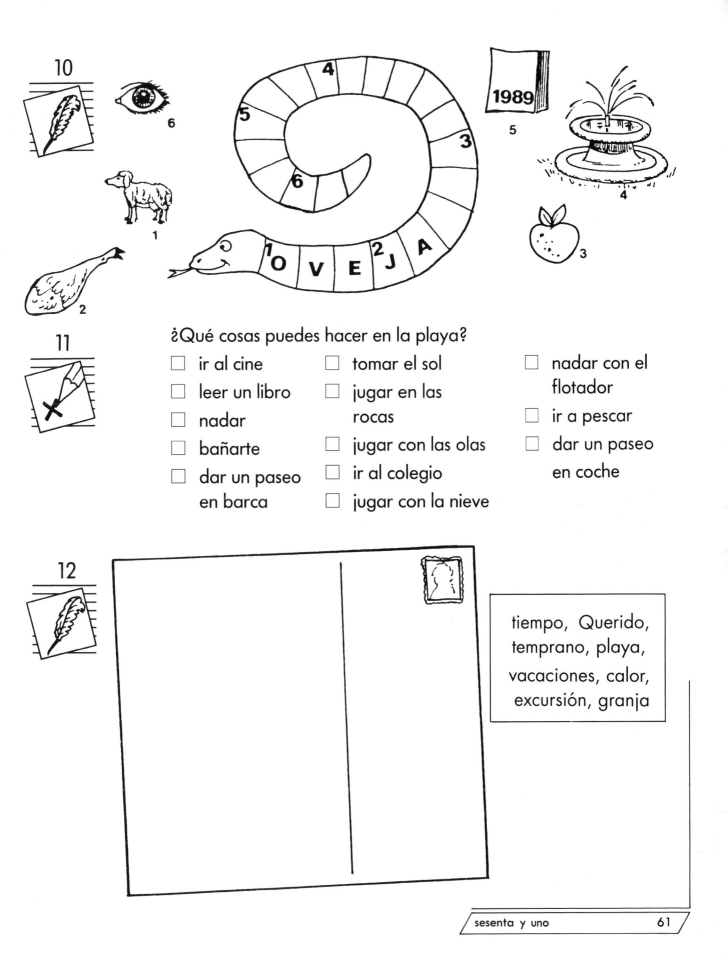

10

6

1

2

5 — 1989

4

3

O V E J A
1 2

11

¿Qué cosas puedes hacer en la playa?

☐ ir al cine
☐ leer un libro
☐ nadar
☐ bañarte
☐ dar un paseo en barca

☐ tomar el sol
☐ jugar en las rocas
☐ jugar con las olas
☐ ir al colegio
☐ jugar con la nieve

☐ nadar con el flotador
☐ ir a pescar
☐ dar un paseo en coche

12

tiempo, Querido,
temprano, playa,
vacaciones, calor,
excursión, granja

Juego para dos, tres o cuatro niños.
Cada niño tiene que jugar con un dado y una
ficha. Comienza el que saque un seis.

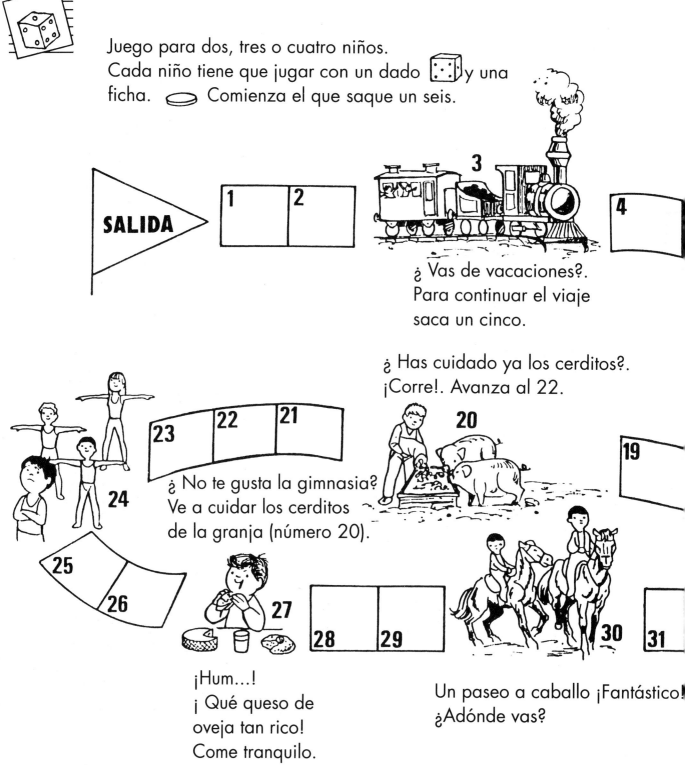

SALIDA 1 2 3 4

¿ Vas de vacaciones?.
Para continuar el viaje
saca un cinco.

¿ Has cuidado ya los cerditos?.
¡Corre!. Avanza al 22.

23 22 21 20 19

¿ No te gusta la gimnasia?
Ve a cuidar los cerditos
de la granja (número 20).

24

25 26 27 28 29 30 31

¡Hum...!
¡ Qué queso de
oveja tan rico!
Come tranquilo.
Espera dos veces

Un paseo a caballo ¡Fantástico!
¿Adónde vas?

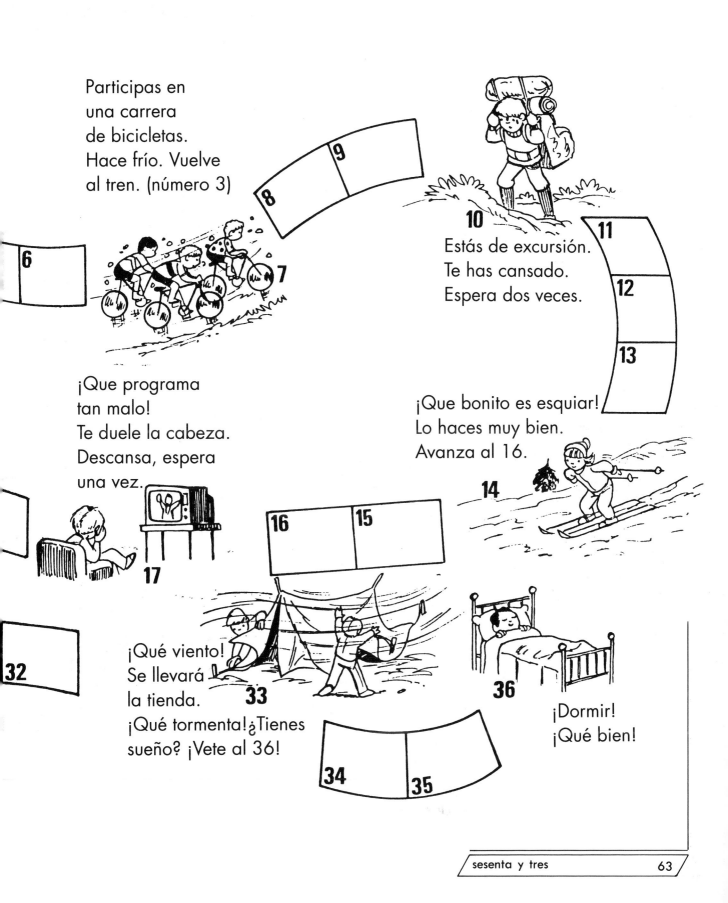

Participas en
una carrera
de bicicletas.
Hace frío. Vuelve
al tren. (número 3)

9

8

10

Estás de excursión.
Te has cansado.
Espera dos veces.

11

12

13

6

7

¡Que programa
tan malo!
Te duele la cabeza.
Descansa, espera
una vez.

¡Que bonito es esquiar!
Lo haces muy bien.
Avanza al 16.

14

16 **15**

17

32

¡Qué viento!
Se llevará
la tienda. **33**
¡Qué tormenta!¿Tienes
sueño? ¡Vete al 36!

36

¡Dormir!
¡Qué bien!

34 **35**